CATHERINE MEURISSE

La jeune femme et la mer

Mise en couleur
ISABELLE MERLET

DARGAUD

PARIS BARCELONE BRUXELLES HONG KONG LAUSANNE LONDRES MONTREAL NEW YORK SHANGHAI

4

La mer semble toute proche, n'est-ce pas ?

Vous constaterez que les bureaux de l'administration regardent la mer...

... Les studios des artistes, quant à eux, sont tournés vers la montagne.

Cruel !

L'architecte de la résidence l'a voulu ainsi. C'est pour que vous ne soyez pas distraits pendant votre séjour artistique.

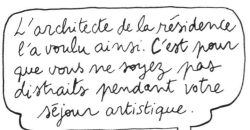

VVRFFFRRFF FF

Qu'est-ce que je vais bien pouvoir faire ici ?

J'allais vous le demander ! Quel est votre projet ?

j'aimerais peindre la nature.

Si je pouvais renouveler ma banque d'images mentales par trop occidentale, ce serait formidable.

Vous parlez japonais ?

Je ne connais que "bonjour" : "konichiwa" ; "merci" : "arigato" ; "merci beaucoup" : "domo arigato" ; "s'il vous plaît" : "onegai shimasu" ; "à bientôt" : "mata ne."

"C'est beau" : "kirei". Ça peut toujours servir.

"Domo arigato" pour le thé.

7

Quelle verdure ! On se croirait dans un film de Miyazaki.

Je préfère les films de Takahata.

?

Vous avez vu Pompoko ?

...

J'ai joué dedans.

Le film dans lequel nous, tanuki, exhibons nos rossignolles extra-larges ! Culte !

Ko... Konichiwa...

Vous aimez les poils ?

Vous avez de la chance, je sors de chez le coiffeur.

GRAT.

Voici votre pinceau.

Arigato... Je... J'imaginais que, la pudeur étant de mise ici au Japon, on s'échangerait plutôt nos cartes de visite...

Savez-vous comment on s'en sert ?

TCH!

Savez-vous comment on fait Shodo ?

C'est quoi, "Chaud Dos" ?

Installez-vous.

Une pierre à encre!

Exact.

Mettez un peu d'eau...

... dans la partie inclinée, celle que l'on appelle...

... la mer.

Puis, avec votre bâtonnet d'encre...

PLOP!

... faites venir l'eau sur la partie opposée, la terre. Avec votre bâtonnet, frottez la terre.

FRRT FRRT FRT

L'encre devient liquide!

Scritch

Le pinceau en poil de tanuki est très prisé, sachez-le.

il ... il a une odeur, non ?

Tenez-le bien droit, comme ceci.

Chaque mot écrit représente exactement l'image de l'objet qu'il décrit.

J'écris quoi, là ?

Chut! Restez concentrée.

Il s'est volatilisé, l'animal!

Oh! Bonjour!

Euh... Konichiwa! Arigato! Domo Arigato! Onegai shimasu! Mata ne! Kirei!

??

Pas très peuplée, cette contrée...

Profitons-en... À nous deux, dame Nature !

... Contentons-nous d'un croquis... La grande peinture attendra.

Konichiwa.

HAAA !!

Konichiwa ! Arigato ! Domo arigato ! onegai shimasu ! Mata ne ! Kirei !

Vous êtes artiste ?

Oui.

Ça ? C'est un tanuki à grosses roubignolles qui me l'a offert, et ...

Voici ma carte de visite.

Posséder le bon pinceau ne signifie pas que vous ferez le bon tableau.

Que faites-vous dans ces parages ?

J'aimerais peindre la nature.

C'est si beau et si différent, ici !

Ça me plaît d'être confrontée au mystère de votre pays.

Le tanuki... il était doué de parole, vous savez ?

Méfiez-vous des tanuki.

Vous n'aimez pas les animaux ?

Si. Sauf quand ils sont trop bavards. Ça crée des interférences avec ma quête d'impassibilité.

Votre quête de quoi ?

Je recherche l'état qui permet de peindre un tableau.

Ça alors ! C'est cocasse, cette rencontre fortuite entre deux peintres, à l'autre bout du monde !

"Bout du monde"... parlez pour vous.

Je peux voir votre carnet ?

Il est vide. Enfin, il ne contient pas de dessins, seulement des poèmes de ma composition.

Je cherche à peindre une femme. L'expression d'une femme.

J'avoue que, pour le moment, c'est la panne sèche.

La peinture échoue. Seuls les haïkus fonctionnent. En dix-sept syllabes, je traduis mieux l'évanescence des choses.

Ah oui, le haïku, fastoche ! "Dans le silence de la forêt. Un tanuki. À grosses rossignolles."

À mon avis, aucun Occidental ne peut comprendre les haïkus, ni en composer. C'est hors d'atteinte.

Konichiwaaaaaa !

chlip chlip chlip

18

On s'est permis d'entrer, grand-mère !

Hein ? Du thé dans un grand verre ?

Je vous sers ça tout de suite !

Excusez-moi, je ne vous avais pas entendus arriver.

chilip chicin

C'est agréable, ce calme, hein ?

Ce câlin ?

Vous voulez un câlin ? Je n'ai que des biscuits aux haricots rouges.

C'est quoi, l'évanescence des choses ?

C'est ce qui est hors du monde.

La poésie à laquelle j'aspire n'est pas celle qui exhorte les passions terrestres. Plutôt celle qui m'affranchit des préoccupations triviales et me donne l'illusion de quitter, ne serait-ce qu'un instant, ce monde de poussière.

Vous aimez la poésie ?

Oui. Mais j'en lis peu.

Souvent, la caractéristique de la poésie est de ne pouvoir jamais sortir du monde. En particulier dans la poésie de chez vous, occidentale.

Votre poésie se fonde sur l'humain et dépasse rarement ce stade.

Comment ça, "ne jamais sortir du monde?" Et du Bellay, alors? "Heureux qui, comme Ulysse, a fait un beau voyage..."

Ha ha! je ne parle pas de ce monde-là.

Le poète occidental a trop les pieds sur terre.

"Je cueille des chrysanthèmes au pied de la haie de l'est, et sereinement je regarde les montagnes du sud."

Ce paysage suffit à effacer le monde. Il n'y a aucune voisine derrière la haie et aucun ami qui se recueille dans les montagnes, vous comprenez?

Ainsi, n'avez-vous pas l'impression de vous élever au-dessus de la mêlée, de vous laver de toute velléité matérielle?

Et cette femme que vous cherchez à peindre, alors ? Où allez-vous la trouver ?

On n'est pas très loin de l'auberge de Nakoï, n'est-ce pas grand-mère ?

L'auberge de mes couilles ? Quelle drôle d'idée !

Vous allez faire une cure thermale ?

S'il n'y a pas trop de monde, j'aimerais bien y rester quelque temps.

Oh ! Depuis le tsunami, il n'y a plus personne, là-bas.

À part la demoiselle Nami et un peu de personnel.

Le tsunami de Nakoï ? Il ne date pas d'hier !

Quelle beauté, cette demoiselle Nami ! Qu'elle était belle, pour ses mariages...

"ses" ?

"... dans son kimono de cérémonie, avec son chignon somptueux. Lorsque son cheval a fait halte au pied d'un cerisier, les pétales sont tombés sur elle et sa coiffure en a été toute tachetée."

HA !

Si vous allez à l'auberge de Nakoï, profitez-en pour vous recueillir en chemin sur la tombe de la Belle de Nagara.

« Autrefois, cette femme d'une riche famille connut le malheur d'être aimée de deux hommes en même temps. »

« Ne sachant lequel choisir, elle composa un poème avant de se noyer. »

« L'approche de l'automne apporte la rosée sur les frêles épis ; et mon cœur croit mourir. »

C'était sa p'tite chanson !

C'est gai.

La demoiselle Nami est victime de la même malédiction, celle d'être aimée de plusieurs garçons.

Sauf qu'elle, elle se marie à l'un, puis elle divorce...

... puis elle se marie à cet autre, et se sépare...

... puis épouse cet autre encore, et le congédie...

... et ainsi de suite.

Elle garde de très bonnes relations avec ses ex-époux, enfin, quand ils ne sont pas morts.

Bon ! En route !

Merci pour le thé, grand-mère !

Au-delà d'une certaine dose de ragots, l'odeur du monde d'ici-bas vous pénètre et vous alourdit de sa crasse. Partons.

Les toilettes, s'il vous plaît ?

Les fameux WC japonais...

Merveille de technologie et de propreté...

La Belle de Nagara.

Et ces stèles, là, c'est quoi ?

Les stèles disent qu'il y a bien longtemps la vague d'un tsunami est venue jusque-là, et qu'il ne faut pas construire de maisons dans cette zone.

La mer peut se réveiller à tout moment.

Tout à l'heure, quand j'ai sorti mon carnet à l'évocation de la mariée, le seul visage qui m'est venu est celui de l'Ophélie du peintre Millais.

Vous connaissez ce tableau ?

Oui.

Pourquoi êtes-vous allé chercher le visage de la demoiselle Nami dans une peinture anglaise ?

J'ai vu ce tableau à Londres. Il m'a fait forte impression.

Vous avez voyagé ?

Quand mon pays s'est enfin ouvert au monde, le gouvernement m'a envoyé en Europe, pour que je m'abreuve de culture occidentale.

Y avez-vous trouvé l'impassibilité ?

Non. Je suis rentré épuisé.

Vous êtes épuisants.

Dans votre peinture, vous faites tout rond, tout plein, bien en chair. Chez nous, tout est plat. Ramené à la surface.

Bien en chair, bien en chair... blafarde, oui ! Ophélie est une noyée, elle flotte à la surface de l'eau.

Ce n'est pas de cette platitude que je parle.

Konbanwa*!

*Bonsoir

Bienvenue chez la demoiselle Nami.

Votre chambre est prête.

Oh, merci ! Arigato !

Le thé est chaud.

Domo mercigato !

Il est écrit : "L'ombre d'un bambou nettoie l'escalier, mais la poussière ne bouge pas."

C'est joli.

Oui, c'est joli, la poésie. Mais ça ne m'aide pas à faire le ménage dans cette baraque !

Qui est-ce ?

Un fantôme ?

Qu'est-ce qu'il chante ?

« L'approche de l'automne... apporte la rosée... sur les frêles épis... et mon cœur..., croit... mourir... »

La chanson de la Belle de Nagara !

Soit c'est un esprit, soit c'est la demoiselle Nami.

L'ombre des fleurs, un chant au clair de lune, une silhouette de femme... Voilà des thèmes de prédilection pour un artiste.

Eh bien alors ?

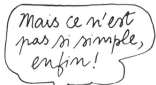

Où est votre carnet de croquis ? Allez-y, peignez !

Mais ce n'est pas si simple, enfin !

Et vous ? Qu'attendez-vous pour immortaliser la scène ?

Moi ?

Moi, je ne crois pas aux fantômes et j'ai envie de dormir. « jet lag. »

Bonsoir.

FRRRRT T

35

Ohayo! Bonjour et bienvenue!

Mademoiselle Nami...

Crevettes sur lit de fougères, bouillon miso, riz, nattô, tempura de petits poissons.

Le peintre anglais Turner aurait dit, en voyant une salade vinaigrette: «C'est une couleur rafraîchissante, je l'utiliserai!»

Ce vert de fougère n'existe pas en Occident.

C'est parce qu'il côtoie le rose d'une crevette pêchée ici, et le gris d'une céramique façonnée au village.

Vous aimez le nattô*? C'est un plat qui effraie les Européens d'habitude!

*soja fermenté

J'adore! Ça a le goût du camembert!

Du camembert??

POUAH!

CHOMP CHOMP CHOMP

Vous habitez ici depuis longtemps ?

Je suis née ici, j'ai grandi ici.

Vous devez connaître l'histoire de la Belle de Nagara.

Bien sûr ! « L'approche de l'automne apporte la rosée sur les frêles épis... »

... « et mon cœur croit mourir ! »

C'est la vieille de la maison de thé qui vous l'a apprise !

Ce n'est pas très malin de se noyer pour des histoires de cœur, vous ne trouvez pas ?

Euh, oui.

Vous, qu'auriez-vous fait ?

Moi ? J'aurais pris les deux amants ! Et mon maillot.

Voilà qui est parlé !

Quelle liberté de ton ! Elle a voyagé en Europe, elle aussi ?

« L'amour est enfant de bohème...
De loin n'a jamais, jamais connu. »

Dix-sept syllabes. Haïku.

Les amants, les maris... je n'arrive jamais à les garder. Ils finissent toujours par partir.

Pourquoi ?

Ils doivent partir.

? ?

Que faites-vous ici ? Du tourisme ?

Je me balade à des fins artistiques. J'aimerais peindre la nature.

Je suis fascinée par la nature d'ici.

Quelle nature ? Celle qui disparaît ou celle qui gronde ?

Hein ?

Allez-vous percer le mystère de notre intimité avec elle ?

J'espère que vous n'êtes pas trop sensible. Le couple Nature-Japon se dispute souvent.

Dépêchez-vous de visiter la contrée, avant que ces paysages fantasmés ne se réveillent. Un typhon est attendu pour la fin de la semaine.

Ah bon ? Comment le savez-vous ?

Je le sais, c'est tout.

Avez-vous déjà vécu cela ?

Non ! Ni typhon, ni séisme, ni tsunami...

... ni éruption volcanique...

C'est la vierge incarnée !

Bon, bon ! Je vais me promener !

Je vous ai préparé des onigiris pour la route.

Et vous ?

J'ai un haïku sur le feu.

Le colza est le même que celui de mon pays natal. Je le connais par cœur.

Mais le colza mélangé aux camélias... Mon cœur ne connaît pas.

Le blé coupé, les foins, j'ai toujours vu ça.

Mais le riz ramassé et séché de la sorte, quelle étrangeté...

La glycine, bien sûr.

Des "arbres de glycine", en pleine forêt ?... Je ne savais pas.

Konichiwa!

Konichiwa!

Nous peignons les arbres, en face. "Cryptomeria japonica."

Certes...

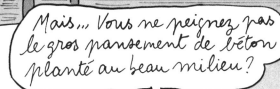

Mais... Vous ne peignez pas le gros pansement de béton planté au beau milieu ?

Ça ? oh non ! on est tellement habitués qu'on ne le voit plus.

La nature que nous représentons est idéalisée, non modernisée.

Comme la nature vierge est de plus en plus rare...

on se permet quelques retouches !

Il y a un petit temple sur cette île.

Allez le visiter, tant que la marée est basse.

Un torii.

Franchissons la frontière entre le monde profane et le monde des esprits !

Pénétrons...

...en territoire sacré.

Woah!!

On se demande qui pénètre qui, ici !

j'adore cet endroit.

?

Il me ressemble.

Alors ? Qu'as-tu donc peint ?

Oh ... Pas grand-chose ...

Voire rien.

Je suis un peu dépassée par ce que je vois.

C'est trop grand pour être peint.

Je ne sais plus où placer l'horizon, ni quelles lignes de fuite tirer.

C'est sûr que ton carnet est trop petit pour faire entrer cette grosse

Oui oui on a compris !

C'est un temple dédié à la fertilité. S'y frotter porte chance.

La demoiselle Nami est déjà venue ici.

Vous la connaissez ?

Tout le monde la connaît.

Ton ami peintre a-t-il réussi à la portraiturer ?

Pas encore. Il se donne du mal.

Il s'obstine à vouloir la représenter en noyée, je ne comprends pas pourquoi.

Ce n'est pas parce qu'il la représentera dans l'eau qu'elle se noiera !

PAF !

Aïe

Les peintres se permettent tout sans jamais rien détruire.

Et de toute façon, une femme noyée, ça a déjà été fait.

Oui ! Le peintre anglais Mill...

Hokusai l'a fait.

On ne peut pas rivaliser avec Hokusai.

Hon !

Effrayant, n'est-ce pas ?

Ton ami ne s'est probablement pas engagé dans cette voie spectrale. Il doit vouloir peindre autre chose.

Vous...

... Vous rangez beaucoup de choses sous vos

Ma vie entière !

Je suis mon propre camping-car.

On a une super vue d'ici.

On distingue le château de Kumamoto.

Les échafaudages, là-bas ?

Oui.

Il a été ratiboisé par un séisme il y a peu. Depuis, tout le monde s'écharpe à propos de sa reconstruction.

Pourquoi ?

Il y a ceux qui veulent le restaurer à l'identique, en bois, et ceux qui veulent recourir au béton...

...pour éviter trop de dégâts lors de désastres futurs.

Le béton serait sacrilège.

ouais. Chez nous, on préfère le bois au ciment.

On préfère le temporaire qui, en se renouvelant, tend vers l'éternel.

Si, après chaque séisme, le château est régulièrement reconstruit en bois, c'est comme s'il était vivant, comprends-tu ?

Tout est voué à renaître.

Voilà.

Et c'est quoi, ça, au loin ?

Ha ha! C'est un gros sacrilège.

Un mur anti-tsunami.

On se sent en sécurité, hein ?

Quand le dieu avait le dos tourné, le poisson-chat, en remuant...

...provoquait un tremblement de terre.

Savez-vous, ignare jeune fille, qu'autrefois les gens croyaient qu'un poisson-chat géant était retenu dans les entrailles de la Terre par le dieu Kashima ?

Je n'ose pas l'abimer...

C'est un outil! Pas un talisman!

La mer monte.

Il est temps de dégager.

Tsunami ??

Mais non! La marée, c'est tout.

Et le volcan qui fume sacrément, là-bas...

... il est surveillé par le dieu Kashima lui aussi ?

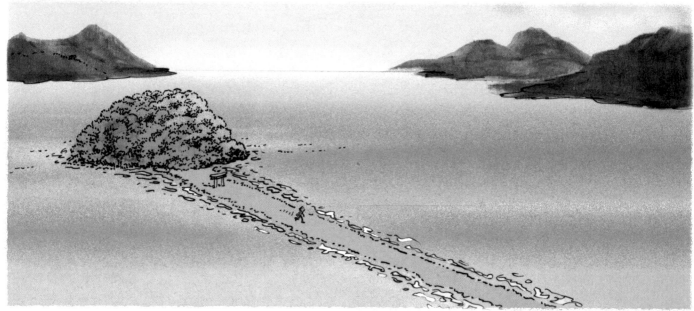

un autre temple...

DONG DONG DONG

Kirei!

La *Vague* de Hokusai? oui, elle est belle.

C'est un peu notre *Joconde* à nous.

C'est quoi cette musique?

Hommage à la déesse Benten. Gardienne de l'océan.

Ah.

Chaque année, nous remercions la mer pour ses bienfaits.

C'est gentil.

Oh... Elle-même n'est pas toujours gentille avec nous.

Nous ne sommes pas rancuniers. Elle nous prend beaucoup...

...mais nous vivons grâce à elle.

C'est malin!

?

Vous avez vu le détour que ça nous oblige à faire, pour aller visiter la déesse Benten ?

Heureusement, vous avez de quoi grignoter en chemin ! ha ha !

On ne touche pas aux offrandes, barbare !

Regardez. On est coupés de la mer.

Si on ne voit pas la mer, comment peut-on se parler ?

Si on ne guette pas ses changements d'humeur, comment savoir quand sortir le bateau ? Comment réagir en cas de danger ? Hein ?

On perd nos réflexes. on se rouille.

C'est quand même pas difficile à comprendre !

Même vous, vous êtes capable de le sentir.

certes

marrant...

Elle ressemble un peu à Nami...

j'ai faim.

Quelle... familière étrangeté.

L'auberge est loin. Je devrais rentrer.

Pas de bus, ici, pas de train... En stop ?

Il paraît que le stop ne marche pas du tout au Japon.

VROUM

VROUM

Peut-être qu'ici le pouce levé signifie "fuck" ou "j'ai la peste"...

Si j'ai bien lu Lévi-Strauss, les Japonais font tout de manière contraire à nos usages.

Ils conduisent à gauche, ils montent à cheval par la droite... Pour dire "oui", ils secouent la tête comme quand on dit "non"...

Konbanwa !

Notre peintre est là ?

Il est au bain.

Depuis le bain pour femmes, vous pourrez lui parler : les cloisons sont en papier.

CHLIP CHLIP

CHLIP

CHLIP CHLIP CHLIP

Peintre ! j'ai revu le tanuki.

Ah ?

« Ukiyo-e ».
« Image du monde flottant ».

Encore ??

« Monde flottant » signifie monde éphémère, impermanence des choses.

Les estampes de l'ukiyo sont des images de la vie telle qu'elle passe sous nos yeux.

Hokusai est un des peintres les plus célèbres du mouvement Ukiyo-e.

Le tanuki m'a parlé d'Hokusai.

Il a dit qu'il avait déjà peint une femme qui flotte, alors c'était pas la peine de vous casser la tête.

Grossier mammifère.

Hokusai est indépassable, en effet.

Savez-vous comment le peintre Millais a réalisé son Ophélie ?

Sa femme a posé pour lui, tout habillée, dans la baignoire de leur appartement à Londres.

Exact. Il a ensuite ajouté des branchages et autres fleurs qu'il avait observés au printemps et en automne, dans le jardin d'un ami.

Dans son tableau, les deux saisons, mêlées, passent sous nos yeux.

La saison du renouveau et celle de la nostalgie.

"Hanami", la contemplation des fleurs du printemps...

...et "Nagori", vestiges de la saison et nostalgie de la séparation.

Millais a oublié de peindre la pneumonie de sa femme, après son bain glacé.

?

Le shamisen de Nami !

Vite !

Mon sujet !

HAN !

VRAM

Satané flou artistique !!

La vapeur vous voulez dire ?

De quoi cette montagne a-t-elle accouché ?

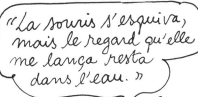

« La souris s'esquiva, mais le regard qu'elle me lança resta dans l'eau. »

Il faudrait peindre l'eau.

Bonne nuit.

CHLIP CHLIP CHLIP CHLIP CHLIP

Alors, que dites-vous de la contrée ?

Ce que j'en dis, c'est que la contrée a des choses à dire !

j'ai vu un géant dans un buisson de volubilis, une dalle de béton onduler... Il ne leur manquait que la parole.

Ha ha ! Le tanuki vous a ensorcelée...

C'est drôle, cette faculté de voir des choses presque humaines dans des formes de la nature.

Comme quand on regarde les nuages. mais chez vous, c'est beaucoup plus fort.

Nos mythologies et nos croyances font chauffer votre imaginaire.

Pourtant, je ne connais rien à votre culture.

Voir des créatures dans la nature, c'est une faculté qui a son utilité.

Oui... Elle pourrait me pousser à peindre...

Ou à fuir. L'inconscient dont l'espèce humaine est dotée lui fait interpréter des formes incertaines, parfois terrifiantes, qui la rendent capable de fuir le danger.

Réflexe archaïque !

Je n'ai pas eu peur.

Vous apprivoisez peu à peu l'étrangeté de notre pays.

Vous n'êtes pas d'ici. Mais vous commencez à l'être, puisque vous y êtes entrée.

Où ça ?

Ici.

Haïku ?

Non.

En tout cas, je trouve tout beau.

Une fois que j'ai pénétré dans ce territoire, toute la beauté du monde appartient à mon être.

Sans que je peigne un tableau, je suis un peintre de premier ordre.

Voilà une philosophie bien pratique pour ne pas peindre...

Mademoiselle Nami...

... ne soyez pas si terre à terre...

Terre à terre, moi ?

PLING ♪

Des nouvelles du typhon ?

Oui. Il vous embrasse.

Vous avez un sixième sens ?

J'ai été Miss météo autrefois.

HA HA HA HA !

Le typhon est en route.

Il a dépassé la mer des Philippines.

L'auberge tiendra le coup ?

Oh ! Elle en a vu d'autres.

Nous cohabitons avec les cataclysmes naturels depuis longtemps.

L'OMBRE DU TYPHON NETTOIE L'ESCALIER ET TOUTE LA MAISON BOUGE.

C'est avec ce bleu que Hokusai a réalisé ses célèbres estampes.

"Bleu de Prusse."

Les couleurs sont de grandes globe-trotteuses.

C'est le bleu de l'étang du Miroir.

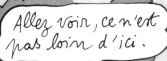

Allez voir, ce n'est pas loin d'ici.

C'est un bon endroit pour peindre ?

Pour geindre ? Ça oui !

Et c'est un bon endroit pour se noyer !

86

S'il va à l'étang du Miroir, sûrement.

La Belle de Nagara s'y est noyée.

Je sais.

Elle avait un miroir sur elle, d'où le nom du lieu. Anecdotique. C'est un fait divers, rien de plus.

Moi, cet étang, je l'appelle l'étang salé. Car il a le goût de la mer. C'est un bras de mer.

Montre-moi La Vague.

Hein ?

Hokusai.

Ha !

Regarde bien.

Elle avait une dizaine d'années. Elle sortait souvent pêcher avec ses parents et ses cousins.

Ce jour-là, il y a eu un séisme au large.

Cette vague, c'est ...

... un tsunami, oui. Conséquence du séisme.

Nami est la seule survivante de cette sortie en mer.

Elle est la seule survivante de La Vague de Hokusai.

... Son estampe témoigne en inventant.

Si j'ai au moins une certitude, à propos de ce bout de papier...

... c'est qu'il n'y a pas écrit "merde à celui qui le lira" dessus.

C'est drôle.

Je regarde la nature, mais c'est elle qui semble me regarder.

Salé, en effet.

Toujours cette étrangeté familière...

Je connais désormais les odeurs, les pétales du camélia, la silhouette du volcan...

C'est peut-être vrai que je commence à être "d'ici", mine de rien...

À nous deux, frère pinceau !

C'est ... C'est chez moi !

mon paysage natal !

La mer est mon informatrice.

C'est elle qui me dit quand approche un cataclysme.

Alors, je préviens mes amants et les somme de partir.

Ils rejoignent les villes, y affrontent le chaos...

... aident les victimes, réparent les dégâts.

Ils ne reviennent jamais.

Ils vous obéissent toujours ?

Aveuglément !

C'est beau, l'amour, hein ?

Il y a quelques années, un séisme a brisé en deux une centrale au nord du pays.

Mon époux numéro...

...vingt-quatre s'est engagé au front.

Je n'ai plus jamais eu de ses nouvelles.

Soit ils périssent, soit ils ont trop à faire là-bas pour m'envoyer une carte postale.

Je leur dis au revoir au bord de cet étang. C'est joli, comme décor.

Et puis comme ça, l'étang nous photographie une dernière fois.

Rassurez-vous, je ne vous prendrai pas pour époux, vous êtes trop vieux.

J'allais vous le dire.

Ces hommes, quelle abnégation.

C'est ainsi.

Notre humanité n'est pas séparée du monde. Chacun est tour à tour influent et responsable.

Mais vous ? Que vous est-il arrivé ?

Je vous ai entendue crier.

Oh !

J'ai vu surgir...

...mon pays.

Ici même !

Ma maison...
Le vallon où j'ai grandi...

J'ai tout reconnu !

Cela n'a duré que quelques secondes.

C'était chez moi.
C'était fou.

Au bord de l'étang du Miroir, tout peut arriver.

Ce n'est pas vous qui me contredirez.

Vrai.

J'ai vu passer sur votre visage une ombre fugace comme la rosée...

... et alors le plan que je projetais en moi s'est réalisé à l'instant même.

Maintenant que c'est apparu, je suis prêt à peindre.

Une ombre
de nostalgie.

j'ai aimé ces hommes et j'ai
des souvenirs heureux avec
chacun d'entre eux.

Je n'ai aucun regret.

Le vent se lève.
Rentrons.

Attendez !

Avant que j'oublie...

j'aimerais savoir
ce que signifient ces
signes, une bonne
fois pour toutes !

山水

"yama": montagne.

"mizu": eaux.

Ça signifie paysage.

"montagne-eaux"?

oui.
La vie circule
entre les deux.

Nami !

Si tous les hommes partent au front protéger leurs semblables, qui vous protège ?

Lui.

Car en me peignant, comme Hokusai, il me rend immortelle.

Vous.

Car si le typhon balaie tout sur son passage...

OH ! Je n'ai rien peint !

Je peindrai à mon retour en France très certainement.

Votre herbier...

...il contient tout le paysage vécu ici.

catherine meurisse juin 2021

REMERCIEMENTS

Kyoto
Takao et Kayoko Kashiwagi, Charlotte Fouchet-Ishii,
Sumiko Oe-Gottini, Masako Kotera, Masato Hirano.

Kumamoto
Akira et Kayoko Hamada.

Iki
Yoshitsugu Yamaura, Akira Yamaguchi, Shin Hanada, Vincent Lefrançois.

Paris
Augustin Berque, Gisèle de Haan, Adrien Samson, Philippe Ravon,
Isabelle Merlet, Jean-Jacques Rouger, Nicolas Trouillard.

La Jeune femme et la mer s'inspire très librement du roman *Oreiller d'herbes*
de Natsume Soseki dans la traduction de René de Ceccatty (éd. Rivages poche).
S'est invité dans l'écriture de l'album le typhon Hagibis, survenu dans la région du Kanto en 2019.

Ce projet a été développé lors d'une résidence en 2018 à la Villa Kujoyama
avec le soutien de la Fondation Bettencourt Schueller et de l'Institut français.

DU MÊME AUTEUR

Aux éditions Dargaud
Delacroix
Les Grands espaces
Scènes de la vie hormonale
La Légèreté
Drôles de femmes, avec Julie Birmant

Aux éditions Futuropolis
Moderne Olympia

Aux éditions Marabulles
La Vie de Palais, avec Richard Malka

Aux éditions Sarbacane
Mes hommes de lettres
Le Pont des arts
Elza, c'est quand tu veux, Cupidon,
avec Didier Lévy
Ma tata Thérèse, avec Fabrice Nicolino

Aux éditions Ouest France
L'Esprit de la ruche, la vie secrète des abeilles,
avec Jean Meurisse

Cet album a fait l'objet d'un tirage limité numéroté et signé à 2000 exemplaires.

Directrice de collection : Gisèle de Haan

© **DARGAUD 2021** PREMIÈRE ÉDITION
www.dargaud.com Tous droits de traduction, de reproduction
et d'adaptation strictement réservés pour tous pays. Imprimé sur un papier
issu de forêts gérées durablement. Dépôt légal : octobre 2021 • ISBN 978-2-205-08969-1
Imprimé et relié en septembre 2021 par PPO Graphic – 10, rue de la Croix-Martre, 91120 Palaiseau, France